Is liomsa an leabhar seo:

____

Leagan do pháistí 4 – 7 é seo

An leagan Béarla
Ladybird Books Ltd, 80 Strand, Londain WC2 ORL a chéadfhoilsigh

An leagan Gaeilge

ISBN 1-85791-499-6

Printset & Design Teo. a chuir suas an cló i mBaile Átha Cliath.
Arna chlóbhualadh san Iodáil ag Lego Teo. (Vicenza).

Le fáil ar an bpost uathu seo:
An Siopa Leabhar,
6 Sráid Fhearchair,
Baile Átha Cliath 2.
ansiopaleabhar@eircom.net

nó

An Ceathrú Póilí,
Cultúrlann Mac Adam–Ó Fiaich,
216 Bóthar na bhFál,
Béal Feirste BT12 6AH.
acpoili@mail.portland.co.uk

Orduithe ó leabhardhíoltóirí chuig:
Áis,
31 Sráid na bhFíníní,
Baile Átha Cliath 2.
eolas@forasnagaeilge.ie

An Gúm, 24-27 Sráid Fhreidric Thuaidh, Baile Átha Cliath 1

An Tornapa Mór Millteach

Stephen Holmes *a mhaisigh*

Treasa Ní Ailpín *a rinne an leagan Gaeilge*

An Gúm
Baile Átha Cliath

Máire
An feirmeoir
An tornapa
mór millteach

Róisín
Liam
Lapaí

'Ó! Céard seo?'
arsa an feirmeoir,

'Tornapa

Mór

MILLTEACH!'

‘Caithfidh mé
an tornapa mór
millteach a bhaint,’
arsa an feirmeoir.

Tharraing sé
agus tharraing sé
ach níor bhog
an tornapa.

‘A Mháire, a chroí,’
arsa an feirmeoir,
‘an gcabhróidh tú liom
an tornapa mór
millteach a bhaint?’

Tharraing siad agus
tharraing siad ach
níor bhog an tornapa
mór millteach.

‘A Liam, a chroí,’
arsa Máire,
‘an gcabhróidh tú linn
an tornapa mór
millteach a bhaint?’

‘A Róisín, a Róisín,’
arsa Liam,
‘an gcabhróidh tú linn
an tornapa mór
millteach a bhaint?’

Tharraing siad
agus tharraing siad
ach níor bhog
an tornapa mór
millteach.

‘A Lapaí, a Lapaí,’
arsa Róisín,
‘an gcabhróidh tú linn
an tornapa mór
millteach a bhaint?’

Tharraing siad
agus . . .

Aililiú!

Bhí an tornapa mór
millteach bainte.

Bhí béile breá tornapa
ag gach duine
an oíche sin.

Maidir leis an tsraith seo leabhar

Leaganacha simplí de sheanscéalta atá sa tsraith seo leabhar a scríobhadh do pháistí atá ag foghlaim na léitheoireachta.

Oireann na leabhair seo do pháistí a bhfuil roinnt focal simplí ar eolas acu agus atá ábalta abairtí gearra a léamh cheana féin. Cuideoidh an t-athrá leo líofacht a bhaint amach sa léitheoireacht. Spreagfaidh na pictiúir spéis na bpáistí sa scéal agus cuideoidh siad leo an téacs a thuiscint.

De réir mar a rachaidh páistí trí na leabhair aithneoidh siad na focail agus na habairtí atá á n-athrá. Is féidir le duine fásta cuidiú leo trína n-aird a tharraingt ar thúslitreacha na bhfocal agus trí fhuaim na litreacha a dhéanamh dóibh. Foghlaimeoidh na páistí na fuaimeanna de réir a chéile.

Teastaíonn cuidiú agus spreagadh ó léitheoirí nua.